Jörg Zink

Dein Geburtstag sei ein Fest

Kreuz Verlag

Du feierst deinen Geburtstag,
und ich stehe, einen Blumenstrauß in der rechten
und ein Päckchen in der linken Hand,
vor deiner Tür und drücke die Klingel.

Es ist erst einige Tage her,
daß ich selbst Geburtstag gefeiert habe.
Es war ein fröhlicher Nachmittag
mit einigen Gästen.
Am Abend, als ich wieder allein war,
gingen mir ein paar Gedanken durch den Sinn,
und während ich mit meinen Blumen dastehe,
denke ich, wir könnten uns ein wenig austauschen.

Wir wissen ja nicht viel voneinander,
und fast immer ist eine Tür
zwischen dem einen und dem anderen,
mindestens eine Schwelle.
Laß sie uns überschreiten.

Blumen bringe ich dir,
Zeichen meiner Freundschaft.
Sie kommen von Herzen.

Der Tisch ist weiß gedeckt. Festlich.
Auf der Kommode ein paar zart verpackte Geschenke.
Eine Kerze dazwischen.
Zeichen von Wünschen, die, gesagt oder ungesagt,
dich erreichen möchten.

Vielleicht solche wie in der fröhlichen Inschrift,
die an einem alten Haus zu lesen ist:
»Gottes Gnade, ein gesunder Leib,
ein warmes Bett, ein gutes Weib«
– oder ein guter Mann –,
»tausend Dukaten in der Not,
fröhliche Urständ nach dem Tod.
Wer die sechs Glück zusammen hat,
der komm und lösch den Reimen ab!«

Oder ein alter Wunsch wie dieser:
»Mögest du in deinem Herzen bewahren
die kostbare Erinnerung an die guten Dinge
in deinem Leben.
Möge jede gute Gabe in dir wachsen.
Mögest du so viel Freude erleben, daß die,
die du liebst, froh werden durch dich.
Und mögen an keinem deiner Feste die fehlen,
die dir sagen: Es ist schön, daß du da bist.«

Ich erhebe also mein Glas und sage:

Möge dein Herz klingen wie dieses Glas,
das zart ist und verletzlich wie alles,
was der sorgsamen Hand bedarf in dieser Welt.

Mögest du die Güte und den Reichtum Gottes
aufnehmen mit Leib und Seele.

Mögest du immer ein Licht sehen,
auch wenn es dunkel wird,
und gerade dann.

Möge dich Freude erfüllen und begleiten,
bis die Feste auf dieser Erde verklungen sind
und das andere Fest beginnt.

Aber »alles Gute!« wünsche ich dir nicht.
Das wäre dir bald zu viel.

Und mit dem Glaserheben ist, wie Emanuel Geibel sagt,
noch nicht alles erreicht.

»Schütte dein Herz in den Becher nur,
so müssen die Sorgen versinken.
Aber die Torheit ist leicht von Natur,
die wird nicht mit ertrinken.«

Was Freunde und Nachbarn wünschen,
das wissen wir ungefähr.
Auf den vielen Karten steht:
Herzliche Glückwünsche
und ein gutes neues Lebensjahr!
In der Tat. Das wäre es.
Schön, wem es beschieden ist.
Ein erfolgreiches Jahr.
Schön, wenn dir das genug ist.
Ein gesundes Jahr.
Das wäre besonders wichtig.
Ein fröhliches Jahr.
Das gilt wohl vor allem den Fröhlichen.
Ein gutes Jahr.
Das ist gut, wenn einer weiß, was für ihn gut ist.
Ein gesegnetes Jahr, das ist das beste,
wenn wir nämlich Hände haben,
die nicht mit anderem angefüllt sind.
Segen, dies vor allem,
wünsche ich dir.

Im übrigen las ich dieser Tage mit Vergnügen
Wilhelm Busch, der uns warnt,
zu viel Vorsorge zu treffen,
weil die Zukunft ohnedies dunkel sei:

»Fritz, der mal wieder schrecklich träge,
vermutet, heute gibt es Schläge,
und knöpft zur Abwehr der Attacke
ein Buch sich unter seine Jacke,
weil er sich in dem Glauben wiegt,
daß er was auf den Buckel kriegt.

Die Schläge trafen richtig ein.
Der Lehrer meint es gut. Allein,
die Gabe wird für heut gespendet
mehr unten, wo die Jacke endet,
wo Fritz nur äußerst leicht bekleidet
und darum ganz besonders leidet.

Ach, daß der Mensch so häufig irrt
und nie recht weiß, was kommen wird!«

Daß ich dich heute besuche,
ist eigentlich die Ausnahme.
Normalerweise geht jeder seinen Weg.
Wir treffen uns. Wir reden miteinander.
Jeder kommt von seiner eigenen Straße – und plötzlich,
an einer Wegkreuzung, trifft er den anderen.
Das Leben ist eine Reise, sagt man,
und die Begegnung der Wandernden ist das Fest.

Ich mag es gerne, wenn man das Leben
als eine Wanderung ansieht.
Die Wege sind lang, mühsam, steil,
entmutigend manchmal, holprig
und manchmal auch gesäumt von Blumen.
Das Wasser wandert mit, die Sturzbäche.
Die Vögel, Schafherden, die Wolken.
Wegzeiger stehen wie hilfreiche Geister.
Rastplätze. Hindernisse. Umwege.
Das Märchen erzählt immer wieder von dem Königssohn,
der in die Welt zieht und sie bestehen will,
der die Braut sucht und das Reich.

Wir gehen unsere Wege, und die Wege kreuzen sich.
Heute.

Es war auf einer Wanderung
in den kanadischen Bergen.
Ein Traumtag.

Unter blauem Himmel und einem verschneiten Gipfel
fuhren drei junge Leute in einem Kanu über das Wasser.

Es ist viele Jahre her, daß ich so
über die bescheideneren Wasser meiner Heimat fuhr.
Verträumt. Die Reise war weit seitdem.

Aber was einmal gewesen ist, wird mir wichtiger
mit den Jahren, auch die vergangenen Träume,
auch die Hoffnungen, die sich so anders erfüllten,
als sie gedacht waren.

Und ich finde den großen Zusammenhang.
Nichts ist vergangen. Es ist noch alles in mir.
Nichts ist verloren. Nichts wertlos geworden.

Das kleine Boot fuhr vorbei. Der See bleibt.
Und ich vertraue, daß, was mich erfüllt hat, bleibt,
und daß der, der mich führte, bleibt
wie der Himmel über dem einsamen Gipfel.

Am folgenden Tag war er überzogen
von dichten Wolken, derselbe See,
und ein kalter Wind drückte von den Bergen herab
über das Wasser hin.
Hätte sich die Wolke nicht geöffnet,
als hätte jemand mit einer Riesenhand hindurchgegriffen,
man hätte das liebliche Wasser nicht wiedererkannt.

Es war nicht alles Sonnenschein,
was du erfahren hast, wie wir alle,
und nicht alles ging ab ohne Bangen.
Und doch sagt Jesus: Sorgt nicht.
Regen und Sonne kommen aus derselben Hand.

Du kannst kein Haar auf deinem Kopf
schwarz oder weiß machen mit deiner Sorge.

Du kannst nicht planen, was kommt,
du kannst es nicht wissen.
Wenn das Wasser dunkel wird
und die Wolken tief sind, dann vertraue,
daß da einer ist, der dich führt.

Wichtig ist am Ende, daß da einer ist,
der deinen Weg weiß.

In Alaska
stand ich vor einem Fluß.
Nebel hing in den Ufern.
Im Strom trieb Holz.
Auf einer Kiesbank
hielten sich,
von Wasser und Wind krumm,
ein paar Bäume.
Es war kein Durchkommen.

Aber als die Wolken zerrissen,
stand der Gipfel
über dem tobenden Wasser:
Das Ziel unserer Wanderung.
Und das Wasser brauste
vor Kraft und Lebendigkeit.

Es fand sich eine Brücke,
und wie so oft
schwanden die Hindernisse,
und die Schönheit des Lichts
stand über den Bäumen.

Es war am selben Tag.
Zwei Stunden später stand ich vor einem See,
der wie unentdeckt zwischen den Wäldern lag.
Ein Spiegel der Berge und des Himmels.

Ein Spiegel dieser Art ist wie eine Erinnerung.
Was in den Jahren geschehen ist,
liegt in mir, als wäre ich der See,
und spiegelt sich in meinen Gedanken.
Und vielleicht wird einmal ein Gebet daraus.
Vielleicht so:

Wenn ich zurücksehe, spiegelt sich in mir
deine Güte wie ein Gipfel im Wasser.
Tage des Glücks, Tage der Liebe spiegeln sich.
Ich bin reich geworden durch dich. Ich danke dir.
Tage der Angst, des Elends,
der Verlassenheit spiegeln sich.
Du hast mich hindurchgeführt.

Ich danke dir für die Klarheit,
mit der ich dich erkenne.
Für deine Güte, die mich weiterführen wird
bis ans Ende meiner Tage
und bis an mein Ziel: zu dir selbst.

Denn was immer dir und mir widerfährt –
es läuft eine Linie durch unsere Jahre,
gezogen von einer wissenden Hand.
Es geschieht nichts »einfach so«.
Es geschieht alles auf dich zu und auf mich.

Was um mich her geschieht, redet zu mir.
Was ich erfahre, will mich ändern.
Was mir in der Hand liegt, ist ein Geschenk.

Alle Wahrheit, die ich verstehe, alle Lebenskraft,
alle Liebe, die ich empfange,
hat mir einer zugedacht.

Alles, was mir einfällt,
fällt irgendwoher ein und meint mich.
Alles, was mir zufällt,
was man Zufall nennt, fällt mir zu.

Was mir schwer aufliegt,
ist mir auferlegt durch einen heiligen Willen.

So öffne ich mich dem, was kommt.
Oder besser: dem, der kommt in allen Dingen.

Wenn ich das Leben als eine Wanderung empfinde,
so scheint mir ein Geburtstag
wie ein Schritt über eine Brücke.

Der Weg ging lang durch Wald und offenes Land.
Nun quert ihn ein Bach oder ein Fluß,
oder am Vierzigsten oder Siebzigsten ein Strom.

Man kann stehenbleiben.
Sagen: Das will ich nicht. Da hinüber,
zu den alten Leuten,
die über vierzig oder über siebzig sind.

Aber man kann auch auf die Brücke treten
und hinabschauen
in das seltsame Wunder der fließenden Zeit
und sich doch nicht wegtreiben lassen
von dem Gedanken an die verrinnenden Jahre.
Dann sich aufrichten und weitergehen.
Hinüber. Ans andere Ufer.

Immerhin ist da eine Brücke. Fest und tragend.
Und ein Ufer, an das zu treten lohnt.
Einige Freunde stehen schon drüben
und warten, daß du kommst.

Ich habe Brücken immer geliebt.
Nicht nur die aus Holz, sondern auch die aus Stein.
Die, über die die Züge fahren, und die,
die man zu Fuß betritt,
oder die nur aus einem Stamm bestehen.

Sie verbinden, was getrennt ist.
Sie führen weiter, wenn der Weg endet.
Sie tragen von einem Ufer zum anderen,
überspannen Wasser, Schluchten, Täler.

Wenn ich ein neues Ufer suche,
muß ich über eine Brücke gehen.
Wenn ich mit dem Fremden vertraut werden will,
mit dem Neuen, muß ich hinübergehen.

Brücken sind Gnaden auf dem Weg.
Ein leichter Bogen oder feste Balken tragen mich
über das Ende meines Wegs hinaus
zum Anfang eines neuen.

Ein Fest wie das, das wir heute feiern,
ist wie eine Brücke.

Manchmal freilich ist es einfacher.
Der Geburtstag geht vorbei wie ein Sommernachmittag.

Manchmal brauchen wir keine Brücke, ein Schritt genügt.
Ein klares, frisches Wasser zwischen den Steinen –
und der Weg geht weiter.
Ich hoffe, du nimmst es leicht,
ein Jahr älter zu sein.

Der Mut zu einem kleinen Schritt genügt.
Mut ist die besondere Weisheit,
das nicht zu fürchten,
was man nicht zu fürchten braucht.

Nicht zu fürchten braucht man das Älterwerden,
das Abnehmen der Kräfte,
denn so ist unser Leben nun einmal geordnet.
Wie sollte man etwas fürchten, das Sinn hat?

Fürchten könnte man sich davor,
daß man den Sinn der Stunde verfehlt,
indem man Früheres festhält und den Platz behauptet,
den man eigentlich verlassen sollte.
Niemals aber fürchte
den Schritt in den nächsten Tag.

Im Laufe der Jahre
gehen wir langsamer über unsere Brücken.

Die Wasser reißen nicht mehr so gewaltig,
sie fließen gemächlicher. Sie ruhen fast.
Und die Brücke und der Himmel spiegeln sich.
Die Seerosen breiten sich aus,
und die Tiere weiden im Riedgras.

Ich finde es gut, daß ich älter werde.
Denn es ist nur mein Körper,
der seine Frische verliert. Seine Spannkraft.
Die Seele altert nicht. Sie wird tiefer
und füllt sich mit Erfahrung und Gelassenheit.

Der Geist altert nicht.
Er ist näher an der Wahrheit
und freier zu neuen Einsichten.

Wenn ich älter werde, werden meine Tage wichtiger.
Ich stehe wie ein Rind im Gras
vor dem tiefen, ruhigen Wasser,
den klaren, starken Bogen der Brücke über mir.

Alles, mein Gott, kommt von dir.
Licht und Finsternis. Glück und Leid.
Nichts geschieht von selbst.

Millionen Jahre waren, ehe es mich gab.
Jahrmillionen werden nach mir sein.
Ein paar kurze Jahre scheint mir die Sonne,
ein paar Sommer lang
ist für mich Tag auf dieser Erde.
Für diese Spanne Zeit danke ich dir.

Alles, was ich erlebe, ist dein Geschenk.
Alle Liebe, die ich gebe oder empfange,
jeder Handgriff, der gelingt,
jeder Gedanke, den ich verstehe.
Alles, was mir zufällt, ist deine Gabe.
Von wem sollte es mir zufallen,
wenn nicht von dir?

Alles, was schwer auf mir liegt, kommt von dir.
Wer sollte es mir auflegen, wenn nicht du?
Was ich bin und habe, ist dein Wunder.
In allem sehe ich deine Absicht.
Ich danke dir
mit ganzem Herzen.

Rudolf Otto Wiemer:
»Was ich mir wünsche

Die Unermüdlichkeit der Drossel, da es
dunkelt, den Gesang zu erneuern.
Den Mut des Grases, nach so viel
Wintern zu grünen.
Die Geduld der Spinne, die ihrer Netze
Zerstörung nicht zählt.
Die Kraft im Nacken des Kleibers.
Das unveränderliche Wort der Krähen.
Das Schweigen der Fische gestern.
Den Fleiß der Holzwespen, die Leichtigkeit
ihrer Waben.
Die Unbestechlichkeit des Spiegels.
Die Wachheit der Uhr.
Den Schlaf der Larve im Acker.
Die Lust des Salamanders am Feuer.
Die Härte des Eises, das der Kälte trotzt,
doch schmilzt im Märzlicht der Liebe.
Die Glut des Holzes, wenn es verbrennt.
Die Anmut des Winds.
Die Reinheit der Asche, die bleibt.«

Ich wünsche dir und mir ein wenig von dem,
was man Altersweisheit nennt,
also die Weisheit, die unserem Alter entspricht.
Jedes Alter hat seine Weisheit.

Weisheit ist ja nicht Routine oder Wissen,
sondern einfach ein weites und nachdenkliches Herz.
Ein Wissen um die Grenzen
und ein Wissen um die Wege.

Man kann Erfahrungen bedenken
und zu Einsichten gelangen.
Was muß denn anders werden an mir,
bis ich über die nächste Brücke gehe?

Man kann von Kindern lernen,
wie wichtig die Kleinigkeiten sind.
Man kann mit seinen Gedanken spielen.
Denn die Gedanken wollen,
wie Kinder und Hunde, zuweilen,
daß man mit ihnen spazierengeht.

Und vielleicht kommt man dabei
zu Sätzen wie diesen:

Ich möchte immer mehr wahrnehmen.
Alles ist wunderbar für offene Augen.

Für alles danken.
So meidet man die Bitterkeit.

Verzeihen, ohne Aufheben davon zu machen.
So gibt man immer mehr Raum.

Immer weniger mit Gewalt tun
und immer mehr durch Freundlichkeit und Geduld.

Immer weniger hassen und ablehnen.
Sich an immer mehr mitfreuen.

Die Dinge, die ich besitze, weniger wichtig nehmen.
Wichtig ist ja nur, was ich mit ihnen tue.

Die Dinge, die für die Jungen wichtig sind,
aufgeben mit leiser Selbstverständlichkeit.

Prinzipien sind unwichtig.
Im Ernstfall genügt ein wenig Barmherzigkeit.

Am Ende immer weniger fordern
und immer weniger verweigern.

Das könnten solche Ziele sein.

Oder diese:

Die Jungen nicht beneiden, sondern ihnen beistehen.
Auch für sie ist das Leben schwer genug.

Möglichst von nichts wünschen, daß es vorbei sei.
Das Leben kommt nicht später. Es ist jetzt.

Von nichts wünschen, daß es zurückkommt.
Es ist gewesen, und nur seine Spuren sind wichtig.

Auf die Uhr achten, die in uns läuft.
Sie weiß, wann unsere Aufgaben erfüllt sind.

Den Rhythmus von Seele und Leib finden,
der am meisten Raum läßt für die Stille.

Jeden Tag nach dem Menschen fragen,
der unser jetzt am meisten bedarf.

Sich immer weniger wichtig nehmen.
Man empfängt viel mehr, als man gibt.

Und was man ist, ist man viel weniger
durch eigenes Zutun als durch andere geworden.

Am Ende geht es um Einsicht und Liebeskraft,
denn es fehlt der Welt nicht an den Tätern.

Du kannst auch dies versuchen:

Zeit aussparen zum Nichtstun.
Wann willst du sonst nachdenken?

Zeit aussparen, um Lohnendes zu lesen.
Zeit aussparen, um nur einfach dazusein,
und gewähren lassen, was geschieht.
Denn die Zeit engt nicht ein.
Sie gibt frei, was geschehen soll und muß.

Alles, was kommt, aufnehmen wie einen Gast
und es beherbergen, bis es weitergeht.

Mit Gott und dem Schicksal in Frieden leben.
Anklagen und Vorwürfe führen zu nichts.

Mit Gott reden, auch anklagend, und wissen:
Er hält deine Vorwürfe aus. Das paßt gut zusammen.

Den Tod weder wünschen noch verdrängen.
Er kommt ganz von selbst, wenn es Zeit ist.

Mit Gott im Frieden leben und seinem Wink folgen.
Wohin willst du sonst gehen am Ende deiner Zeit?

Ehe ich dein Haus wieder verlasse,
möchte ich dir noch ein paar Bilder zeigen.
Zum Abschied.

Wir sprachen von Brücken.
In der Wüste von Colorado sah ich einen Bogen
aus Felsgestein, wie eine Brücke.

Er war den indianischen Völkern heilig.
Er war eine Brücke für Götter,
und niemand durfte ihn betreten,
niemand unter ihm hindurchgehen.
Er ist das Symbol einer Verbindung
zwischen zwei Ufern,
zwischen dem, was in unserer Welt ist,
und dem, was in Ewigkeit gilt.

Die Bibel spricht von einem Regenbogen.
Sie sagt, die Zuverlässigkeit Gottes bleibe über dir
wie der Regenbogen über einem fruchtbaren Land.
Sie sagt, es sei mit dem Sinn deines Lebens
kein Glücksspiel.
Gott bleibe bei dir
und du in seiner Hand.

Herr, ich weiß, daß ich einem Ziel zugehe,
daß der große Markttag auf der Erde
ein Ende hat
und daß ich zuletzt eine Brücke brauche,
die mich über den großen Strom trägt
an ein anderes, fremdes Ufer,
an dem du mich empfängst.

Du selbst bist die Brücke.
Ich gehe meinen Weg mit Zagen.
Aber ich vertraue dir,
daß du mich führen und tragen wirst.
Ich verlasse mich auf dich.

Und ich wünsche mir, daß die Feste,
die wir hier feiern, etwas vorwegnehmen
von jenem Tag,
an dem wir die letzte Brücke überschreiten
mit einem leichten Schritt
und weitergehen dorthin,
wo du uns die Herberge bestimmt hast
in deinem Reich.

Vincent van Gogh schreibt:

Es ist richtig, bei dem Glauben zu bleiben,
daß alles wunderbar ist,
weit mehr, als man begreifen kann;
denn das ist die Wahrheit,
und es ist gut,
feinfühlig, bescheiden
und zart von Herzen zu sein,
es ist schön, voller Wissen zu sein
in den Dingen, die verborgen sind
vor den Weisen und Verständigen dieser Welt,
und der Mensch tut wohl daran,
wenn er nicht mit weniger zufrieden ist
und sich nicht zu Hause fühlt,
solange er das nicht errungen hat,

mit allen, die mehr
gesucht und gearbeitet
und mehr geliebt haben
als die anderen,
allen, die auf die hohe See des Lebens
hinausgesteuert sind.
Hinaussteuern auf das hohe Meer,
das müssen wir auch tun,
wollen wir etwas fangen,
und wenn es manchmal geschieht,
daß wir die ganze Nacht
gearbeitet haben und nichts erreichten,
dann ist es gut, doch nicht aufzugeben,
sondern in der Morgenstunde
erneut das Netz auszuwerfen.

Die Brücke führt in Irland über
einen kleinen Fluß.
Wer weiß, wie viele Menschen
im Laufe der Jahrhunderte
hier an das andere Ufer getreten sind,
täglich hin und her –
oder nur einmal auf einer langen Reise.

Die irischen Mönche entließen einander,
wenn einer auf eine weite Reise ging,
mit einem besonderen Segen. Er ist so schön,
daß ich ihn dir mitgeben möchte
auf deinen Weg in dein neues Jahr:

»Möge dein Weg dir freundlich entgegenkommen.
Möge die Sonne dein Gesicht erhellen.
Möge der Wind dir den Rücken stärken
und der Regen um dich her die Felder tränken.

Und bis wir zwei, du und ich,
einander wiedersehen,
möge der gütige Gott dich
in seiner Hand halten.«

Quellenangabe
S. 31 Rudolf Otto Wiemer aus: Ernstfall, J. F. Steinkopf Verlag Stuttgart 1973[2]

2. Auflage (41.–60. Tausend)
Kreuz Verlag Stuttgart 1988

Alle Fotos: Jörg Zink
Gestaltung: Hans Hug
Reproduktionen: Gölz, Ludwigsburg
Satz: TypoSatz Bauer, Fellbach
Druck: Süddeutsche Verlagsanstalt, Ludwigsburg
Buchbinderische Verarbeitung: Röck, Weinsberg

ISBN 3 7831 0867 5

In der gleichen Ausstattung wie das Buch, das Sie in der Hand haben, sind **von Jörg Zink im Kreuz Verlag** erschienen:

Mehr als drei Wünsche
Altersweisheit spricht aus den mit Humor gewürzten Texten, die zusammen mit den Fotos ein herzhaftes Geschenk bilden.

Am Ufer der Stille
Jörg Zink zeigt auf Fotos und in seinen Texten, in welche Tiefe und Weite das Lauschen auf die Stille führt.

Alles Lebendige singt von Gott
In den vielen kleinen Dingen der zauberhaften Natur ist die lebendige Gegenwart des Schöpfers zu erfahren.

Wenn der Abend kommt
Meditative Fotos und Texte laden ein zu Sammlung und Gelassenheit.

Vielfarbiger Dank
Jede Blume mit ihrer besonderen Farbe deutet auf eine menschliche Eigenschaft hin, die Anlaß gibt zum Danken.

Meine Gedanken sind bei dir
Ein besonders zartes Geschenk für alle Liebenden, die getrennt sind.

Wo das Glück entspringt
Ein Geschenk für alle, die nach Glück suchen und dazu beitragen möchten, andere glücklich zu machen.

Unter weitem Himmel
Alle Grenzen, die wir sehen, können sich uns öffnen, unsere Freiheit beginnt, wo wir über Grenzen hinausschauen.

Liebe ist ein Wort aus Licht
Ein Loblied auf die eheliche Liebe, das vom Sinn des gemeinsamen Wanderns erzählt.

Trauer hat heilende Kraft
Ein Besuch im Haus der Trauer, nicht um vorschnell zu trösten, sondern um durch Klage und Schmerz zu begleiten.

Dein Geburtstag sei ein Fest
Jörg Zink ermuntert dazu, den Geburtstag als einen Höhepunkt des Lebens zu feiern und zu bedenken.

Liebesbrief an eine Mutter
Ein Freund schreibt von der Weite und Freiheit, die der Frau auch dann zugedacht sind, wenn sie Mutter ist.